D0104740

Card Captor Sakura, Vol. 4
a été réalisé par

CLAMP

SATSUKI IGARASHI
NANASE OHKAWA
MICK NEKOI
MOKONA APAPA

CLOW CARD

QUAND LE SCEAU SERA BRISÉ

SUR CE MONDE S'ABATTRA LE FLÉAU...

PAS LE TEMPS DE DISCUTER...

LE LABYRINTHE DE "MAZE" NE DISPARAÎT QUE LORSQUE CEUX QUI Y SONT ENFERMÉS TROUVENT LA SORTIE !

EH ?!

ME VOILÀ !

BONSOIR !

AUJOURD'HUI, J'AI TERMINÉ MES COURS PLUS TÔT ET J'AI PRÉPARÉ UN FESTIN !

ÇA TOMBE BIEN, J'AI FAIM.

FLASH-BACK DE TOYA

TU PEUX LE VOIR ?

NE T'EN FAIS PAS, ÇA N'A RIEN D'IMMORAL !

JE SAIS...

19

GENTIL GARÇON !

ON SE REVOIT DEMAIN...

TU ME LE DIRAS !

TON NOM...

HEIN ?

À PLUS TARD !

20

POURQUOI TU NE M'EN AS PAS PARLÉ ?

MAIS CELA T'AURAIT TELLEMENT AFFECTÉ, TOYA. NOS RENCONTRES SONT DES MOMENTS PRIVILÉGIÉS, JE NE VOULAIS PAS LES GÂCHER EN ME LAISSANT GAGNER PAR L'ÉMOTION.

ET PUIS TU N'AURAIS PAS AIMÉ, TOYA...

C'ÉTAIT POUR ÇA ?

IL Y A BIENTÔT UN AN QUE... ICI, D'AILLEURS, À LA FIN DE MON DERNIER JOUR DE STAGE... TU M'AS DIT QUE TU M'AIMAIS...

SUR LE CHEMIN DU RETOUR...

POURQUOI ?

PARCE QUE...

FIN DU FLASH-BACK

IL SOUFFRE COMME S'IL VENAIT DE VIVRE CETTE SITUATION.

PLAF

TU N'AS PAS L'AIR DANS TON ASSIETTE.

TOUT S'EST PASSÉ COMME ME L'AVAIT PRÉDIT KAHO. C'EST UN PEU VEXANT !

?

ALORS, TU FAIS TOUT TOUT SEUL ? LA CUISINE, LE MÉNAGE ET LA LESSIVE ?

BEN... OUI !

INCROYABLE !

MAIS

TU N'ES PAS TROP TRISTE TOUT SEUL ?

12

TAKASHI YAMAZAKI

NÉ LE
1er JUIN

GROUPE SANGUIN
AB

MATIÈRE PRÉFÉRÉE
MATHÉMATIQUES

MATIÈRE DÉTESTÉE
AUCUNE

CLUB
INFORMATIQUE

COULEUR FAVORITE
BORDEAU

FLEUR PRÉFÉRÉE
MANJUSHAGE
(PLANTE ASIATIQUE)

METS FAVORI
LE POISSON EN GÉNÉRAL

PLAT DETESTÉ
LE FLAN

SAIT CUISINER
ONIGIRI
(BOULES DE RIZ À EMPORTER)

AIMERAIT BIEN
UN LIVRE DE SKETCHES
COMIQUES

TAKASHI YAMAZAKI

J'AI TÉLÉPHONÉ À L'ÉCOLE, L'ACTIVITÉ DU CLUB EST FINIE.

ALORS, JE VAIS VOIR MOI-MÊME.

RESTE À LA MAISON PAPA, ELLE PEUT TRÈS BIEN RENTRER.

FAIS ATTENTION À TOI !

RAPLAPLA

ON N'A TOUJOURS PAS TROUVÉ LA SORTIE.

PETITE PAUSE →

PRO-FESSEUR MIZUKI ?!

QUE FAITES-VOUS LÀ, MADEMOISELLE ?

JE SENTAIS QUELQUE CHOSE D'ÉTRANGE DANS MON SANCTUAIRE, ET EN CHERCHANT CE QUE C'ÉTAIT, JE ME SUIS FAIT ATTRAPER.

VOTRE SANCTUAIRE ?

OUI, JE SUIS LA FILLE DU PRÊTRE DU SANCTUAIRE TSUKIMINE...

FILLE UNIQUE, D'AILLEURS !

VOUS N'AVEZ PAS ENTENDU LE GRELOT ?

WOÉ ?

SANS DOUTE AU MOMENT OÙ LE PAYSAGE A CHANGÉ...

EH BIEN...

J'AI PENSÉ QUE VOUS Y PRÊTERIEZ ATTENTION, ALORS JE L'AI FAIT SONNER. MAIS C'ÉTAIT UN PEU TARD...

DÉSOLÉE !

VOUS ÊTES PERDUS ?

JE PENSAIS JUSTEMENT QU'IL Y AURAIT DES ÉGARÉS, J'AI DONC FAIT UNE RONDE...

BON... ON SORT DE LÀ ?

EH ?

ON A CHERCHÉ LONTEMPS, MAIS IL N'Y A PAS DE...

35

41

TRÈS
BIEN
!

JE
ME SENS
ENCORE
TOUTE
MOLLE.

HANHAAN... ...AAN

C'EST UN
OBJET TRÈS
ANCIEN...

MAIS C'EST
BIEN UN GRELOT
!

GRELING

FX

TU TROUVES
QUE JE SUIS
MYSTÉRIEUSE
?

MOI AUSSI, J'AI
FAIT DES CHOSES
ÉTRANGES
!

NOON

NOON

42

SAKURA !

QU'EST CE QUE TU FAB...

EUH... ON PEUT DIRE QUE JE ME SUIS PERDUE EN CHEMIN...

FLAP FLAP FLAP

ET LE PROFESSEUR MIZUKI M'A AIDÉE ET...

ELLE M'A RAMENÉE JUSQU'À LA SORTIE... EN RÉSUMÉ...

IL S'EST PASSÉ BIEN DES CHOSES !

PROMETS-MOI QUE TU NE LA GRONDERAS PAS.

KAHO...

44

TA SŒUR NE TE RESSEMBLE PAS TROP...

TOYA !

ELLE TIENT DE MA MÈRE.

MAIS VOUS AVEZ QUAND MÊME DES POINTS COMMUNS.

ALORS, CELA S'EST PASSÉ COMME JE TE L'AI DIT, LORSQU'ON S'EST SÉPARÉS ?

"PARCE QUE... QUELQU'UN D'AUTRE COMPTERA POUR TOI LA PROCHAINE FOIS QU'ON SE RENCONTRERA."

"CE SERA PAREIL POUR MOI..."

ME VOILÀ !

GO GO !

SBLOUSH

VOUS CONNAISSEZ LE BEACH VOLLEY ?

C'EST UNE VERSION DU VOLLEY SUR UNE PLAGE, NON ?

OUI !

ENCORE...

WOÉ !

MAIS AUTREFOIS, À HAWAÏ, ON A D'ABORD PRATIQUÉ LE BEACH VOLLEY EN BORD DE MER, AVEC UNE NOIX DE COCO...

56

SHAO-LAN

DIT QU'ELLE POSSÈDE UNE GRANDE FORCE ET QU'IL FAUT S'EN MÉFIER !

MAIS MOI, QUAND JE LA REGARDE... HANIAAA! ELLE ME FAIT CRAQUER ♡

RAS-SEMBLE-MENT !

AH, C'EST LA FIN DU QUARTIER LIBRE.

DOMMAGE !

ON S'AMUSERA ENSEMBLE PLUS TARD !

ALLONS-Y !

ENTENDU

CHIHARU SAIT S'Y PRENDRE AVEC YAMAZAKI !

C'EST À L'ÉPOQUE EDO QUE LES SAMOURAIS SE SONT MIS À LA NAGE D'ENDURANCE !

ON Y VA !

ZIIIIP

ILS SONT ENSEMBLE DEPUIS LA MATERNELLE.

CELA FAIT UN MOMENT...

RESTER AMIS SI LONGTEMPS, C'EST MERVEILLEUX !

EN EFFET !

PROFESSEUR TARADA.

QU'Y A-T-IL ?

EUH...

OUI ?

ALLONS-Y !

EN CE MOMENT, SAKURA DOIT CERTAINEMENT NAGER COMME UNE FOLLE DANS LA MER...

HUMPF

SNIF

MOI AUSSI, JE VOULAIS ALLER À LA PLAGE, TÉ !

ROUROUROUROUL

13

SONOMI DAIDOJI

NÉE LE
13 OCTOBRE

PROFESSION
PDG D'UNE ENTREPRISE
DE JOUETS

METS PRÉFÉRÉS
LES CHAMPIGNONS CUISINÉS,
LE THÉ

ALIMENT DÉTESTÉ
LE CAFÉ

AIME BEAUCOUP
NADESHIKO KINOMOTO

COULEUR FAVORITE
VERT PÂLE

FLEUR PRÉFÉRÉE
ŒILLET (EN JAPONAIS,
"NADESHIKO ")

SPÉCIALITÉ CULINAIRE
SAIT PRESQUE TOUT FAIRE

N'AIME PAS DU TOUT
SE LEVER TÔT

HOBBY
PRÉPARER TOUTES SORTES
DE THÉS

TALENT PARTICULIER
CONDUITE AUTO/MOTO

SONOMI
DAIDOJI

60

BEN... AU SANCTUAIRE...

AH, NE T'EN FAIS PAS.

MOI AUSSI JE M'ÉGARE SOUVENT.

ALORS VOUS ÉTIEZ UNE AMIE DE MON FRÈRE ?

IL Y A CINQ ANS, J'AI ÉTÉ SON PROFESSEUR STAGIAIRE.

TON FRÈRE ÉTAIT AU COLLÈGE...

AH, C'EST DONC ÇA ?

SAKURA...

J'ÉTEINS !

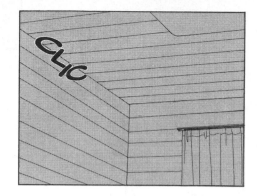

CLIC

NAGER, FAIRE LA CUISINE, C'ÉTAIT GÉNIAL !

DEMAIN, C'EST LA TRADITION- NELLE "ÉPREUVE DU COU- RAGE"

DANS LA FALAISE !

HEIN ?

CETTE FALAISE QU'ON VOIT DE LA MER ?

OUI...

À PROPOS DE CETTE FALAISE...

HUM

WA!

CONNAISSEZ-VOUS SON HISTOIRE ?

TU BRÛLES D'ENVIE DE LA RACONTER, NAOKO...

OUI, ET JE SUIS SÛRE QUE CETTE HISTOIRE EST VRAIE EN PLUS !

CLING CLING

WOÉÉÉ !

IL Y A LONGTEMPS...

DES ÉCOLIERS COMME NOUS SONT VENUS ICI EN CLASSE DE MER...

70

71

77

C'EST PLUTÔT À TOI DE LE DIRE.

C'EST QUE... JE N'ARRIVE PAS À DORMIR.

MOI, J'AI SENTI UNE PRÉSENCE ÉTRANGE...

UNE CLOW CARD ?

JE N'EN SAIS RIEN.

ALORS UN... FAN...

FAN...

TÔME...

FANTÔME ?

AA... AARÊÊTE !

JE NE SAIS PAS ENCORE.

CE QUE JE SAIS C'EST QUE L'AURA VIENT DE LÀ-BAS.

MAIS C'EST LA FALAISE DONT PARLAIT NAOKO TOUT À L'HEURE !!!!

DEPUIS QUAND TU... ENFIN, LE...

C'ÉTAIT SA PREMIÈRE ANNÉE AU LYCÉE, IL Y TROIS ANS DE CELA...

DEPUIS QUE YUKITO A INTÉGRÉ L'ÉCOLE DE MON GRAND FRÈRE...

LORSQU'IL S'EST INSCRIT, IL A RENCONTRÉ MON FRÈRE ET ILS SONT DEVENUS AMIS

ENSUITE, IL EST VENU CHEZ MOI, ET...

ON PEUT PARLER D'UN COUP DE FOUDRE !

SHAOLAN ?

DÉSOLÉE !

J'AI RENCONTRÉ SHAOLAN EN CHEMIN, ET ON A DISCUTÉ SUR LA PLAGE.

IL M'A RACCOMPAGNÉE JUSQU'AU BUNGALOW

HEIN !?

VUN

QUE S'EST-IL PASSÉ ?

CETTE FALAISE, LÀ !

ELLE M'EST APPARUE BIZARRE-MENT.

JE NE VOIS RIEN DE PARTICULIER !

TU ES SÛRE QUE C'EST ICI QUE S'EST PASSÉE L'HISTOIRE QUE NAOKO A RACONTÉE HIER ?!

TILT

OUI, ET EN PLUS,

L'ÉPREUVE DE COURAGE SE DÉROULE AU CŒUR DE CETTE FALAISE.

DCCOOM

WOÉÉÉ !

LÀ! LÀ

ON RESTE ENSEMBLE !

CIAO !

PRINCIPALES INTÉRESSÉES

MERCI D'ÊTRE TOUS LÀ ! L'ÉPREUVE DU COURAGE QUE VOUS ATTENDEZ TOUS, VA COMMENCER !

BLA   BLA

OUAIS !

AU CŒUR DE CETTE FALAISE,

IL Y A UNE SOURCE... PASSEZ PAR LA PASSERELLE QUI L'ENJAMBE POUR ATTEINDRE LE PETIT AUTEL CENTRAL.

C'EST SUR CET AUTEL QUE VOUS DÉPOSEREZ VOTRE CHANDELLE !

91

PLIC

PLIC

JE... JE
CROIS...

IL VA
SE PASSER
QUELQUE CHOSE
N'EST-CE PAS
?

WOÉÉÉ
!

VVOUF

BON
COURAGE
!

101

C'EST BIZARRE...

WOÉÉ !

NOUS AVONS D'ABORD VU LE PROFESSEUR TERADA, MAIS IL N'Y A PLUS D'ENSEIGNANT POUR NOUS FAIRE PEUR.

ET PUIS...

POURQUOI EST-CE QU'ON NE RENCONTRE PERSONNE D'AUTRE ?

107

113

FWP

火神 FLAMME DIVINE !

FROUSH

TERRIBLE !

VU LE NOMBRE DE CARTES QUE TU AS AMASSÉES, TU EN ES CAPABLE TOI AUSSI !

TU UTILISES LA MAGIE, ET TU PEUX FAIRE LA CUISINE ET LE MÉNAGE !

TU ES GÉNIAL, SHAOLAN !

ON Y VA !

TAP TAP TAP

ATTENDS

122

"CLOW CARD...

... QUAND LE SCEAU SERA BRISÉ, SUR CE MONDE S'ABATTRA LE FLÉAU..."

KERBEROS T'EN A PARLÉ ?

OUI !

MA FAMILLE DÉTIENT DES LIVRES DE MAGIE ÉCRITS PAR CLOW...

DANS L'UN D'ENTRE EUX, CLOW A ÉCRIT DE SA PROPRE MAIN :

CLOW AVAIT UN SACRÉ CARACTÈRE, IL NE SE SOUCIAIT PAS DE CHOSES SANS IMPORTANCE.

ALORS, MOI, LE MEILLEUR MAGICIEN DE LA FAMILLE LI,

J'AI ÉTÉ ENVOYÉ AU JAPON OÙ LES CARTES SEMBLAIENT SE TROUVER.

THE CLOW

POUR QU'UN HOMME TEL QUE LUI PRIE POUR QUE LA CATASTROPHE N'ARRIVE PAS ...

MAIS,

KÉLO A PRÉCISÉ

QUE CELA DÉPENDAIT DES GENS, QUE CE FLÉAU POURRAIT ÊTRE INSIGNIFIANT...

IL N'A PAS AJOUTÉ QUE POUR CERTAINES PERSONNES CE SERA LA PIRE DES CATASTROPHES ?

128

134

"ERASE" A AUSSI EFFACÉ LEURS SOUVENIRS.

JE NE ME SOUVIENS PAS BIEN NON PLUS.

C'EST VRAI QUE MOI AUSSI J'ÉTAIS DANS MON BUNGALOW

AU FAIT, JE VOUS RACONTE LA SUITE DE L'HISTOIRE ?

TILT

AH BON !?

POURQUOI NE SONT ILS PAS REVENUS DE L'ÉPREUVE ?

EH BIEN... EN FAIT, IL Y AVAIT UN ÉTROIT PASSAGE DERRIÈRE L'AUTEL DE LA GROTTE

ET TOUT LE MONDE ÉTAIT PASSÉ PAR LÀ.

DÉCEPTION

AUTEL

JE VOULAIS VOUS EN PARLER POUR QU'ON FASSE LA MÊME CHOSE !

ALORS... CE N'ÉTAIT PAS UNE HISTOIRE DE FANTÔME ?

NON !

TANT MIEUX !

* SORTE D'OMELETTE JAPONAISE.

144

* LES JAPONAIS ACHÈTENT RÉGULIÈREMENT DES « GRI-GRIS » ET AMULETTES POUR SE PROTÉGER DU MAUVAIS SORT, DES ACCIDENTS ET DE L'ÉCHEC SCOLAIRE. LA RELIGION SHINTO EST TRUFFÉE DE SUPERSTITIONS POPULAIRES.

JE VAIS INVITER TOMOYO, ON IRA ENSEMBLE ET ON ACHÈTERA LES TALISMANS.

CHIC CHIC

STOP

SI JE PASSAIS CHEZ YUKITO POUR VOIR !

JE LE RENCONTRERAI PEUT-ÊTRE ♡

FLIP

OH NON !

ÉVIDEMMENT, IL EST ABSENT.

YUKITO !

TANT PIS !

146

SAKURA
!

WOÉ ?
WOÉ
?

COUIC   COUIC

JE
SUIS LÀ
HAUT
!

SURPRIIIISE

YUKITO
!

OUI
!

MAIS
J'AI FINI...

TU
FAIS LES
COURSES
?

ÇA
TE DIRAIT
D'ENTRER
BOIRE UN
THÉ
?

J'AI
FINI DE
RÉPARER
LE TOIT.

J'AI
BIEN
FAIT

DE
FAIRE UN
DÉTOUR
!

ET TA
FAMILLE
?

EN
VOYAGE.

GRAND-PÈRE ET
GRAND-MÈRE
S'ENTENDENT BIEN.

ILS
PARTENT
SOUVENT
TOUS LES
DEUX.

ÉVIDEMMENT, DANS CES CAS-LÀ ON A FAIM.

EN EFFET,

ALORS J'AI MANGÉ LA PORTION DE GELÉE QUI ÉTAIT AU FRIGO.

ET C'ÉTAIT LA PART DE...

POF

ALORS, C'EST BIEN TOI QUI L'AS MANGÉ ?!

GRAND FRÈRE !

AH, TU M'AS FAIT PEUR !

REGARDE DEVANT TOI QUAND TU MARCHES !

CHOP CHOP

TIENS, AU FAIT...

VOUS SAVEZ QU'IL Y A UNE FÊTE ?

J'AI VU UNE AFFICHE TOUT À L'HEURE, JE COMPTAIS INVITER TOMOYO.

ET PUIS, IL FAUT QUE JE FASSE ENCORE DES COURSES.

TOUTES LES DEUX ?

OUI !

J'Y VAIS AUSSI.

POURQUOI ?

PARCE QUE J'AI ENVIE !

WOÉ ?

JE PEUX VENIR AUSSI ?

ALORS, JE VAIS TÉLÉPHONER À TOMOYO.

BIEN SÛR !

IL Y A FOULE À CES FÊTES, ET CELA SE PROLONGE TARD. TU TE FAIS DU SOUCI ?

QUEL GRAND FRÈRE MODÈLE !

OH ! LÂCHE-MOI !

C'EST OK POUR TOMOYO !

TAP TAP TAP TAP TAP

ALORS, ON SERA QUATRE.

OÙ EST-CE ?

AU SANCTUAIRE TSUKIMINE.

MAIS OUI !

PROFESSEUR MIZUKI AVAIT MONTRÉ L'ENDROIT À TOYA...

DU TEMPS OÙ ELLE ÉTAIT EN STAGE !

STOP

MOUAIS...

CLAP CLAP

PENDANT CE TEMPS, KÉLO...

C'EST ÇA MA FAÇON "MONKY" TÉ !

OH OUI, LES KONOMI-YAKI !

J'AI APPORTÉ MA CAMÉRA ! CETTE FOIS TU ME LAISSERAS FILMER !

LES OCCASIONS DEVIENNENT RARES... ÇA M'ATTRISTE.

GRIP

EUH... OUI !

154

VOUS ÊTES VENUS !

BONSOIR

OUI, NAOKO NOUS A MIS AU COURANT.

ON VOUS A APPELÉES, TOI ET TOMOYO MAIS VOUS ÉTIEZ PARTIES.

EH

NAOKO ADORE LES TEMPLES ET LES SANCTUAIRES !

ET LES HISTOIRES QUI FONT PEUR !

ET NAOKO, ELLE N'EST PAS LÀ ?

ELLE ET RIKA ONT COURS DE PIANO CE SOIR.

AH BON !

DOMMAGE !

PAN

TIR SUR CIBLE

WAOU

CIBLE

IMPRESSIONNANT !

157

163

166

QUE VOULAIS-TU ?

ALORS, ON VA PASSER PAR DERRIÈRE, C'EST PLUS RAPIDE.

IL Y A MOINS DE MONDE !

EH BIEN... UNE AMULETTE.

AH...

Fluff

DES LUCIOLES ?

MAIS, NOUS SOMMES EN AUTOMNE !

ET IL N'Y PAS DE RIVIÈRE À PROXIMITÉ !

OUI
?

YUKITO...

JE...

JE...

PATATRAS

POC

JE L'AI EU !

IMPOSSIBLE DE LES DÉPARTAGER ! LE FORAIN LEUR EN A DONNÉE UNE CHACUN.

C'ÉTAIT UNE BATAILLE DANTESQUE

INCROYABLE !

FRICH

ÇA AUSSI C'EST POUR MOI ?

WOÉÉÉ !

OUP

OUP

IL Y A UN MARCHAND DE GLACE PILÉE À CÔTÉ, JE T'INVITE POUR TE REMERCIER.

ON Y VA TOUS ENSEMBLE ?

SAKURA ?

IL Y A UN DÉTAIL QUI ME TRACASSE...

ON ARRIVE TOUT DE SUITE, PARTEZ DEVANT !

HÉ !

HÉ !

175

176

JE PEUX TE POSER UNE QUESTION...

MM ?

POURQUOI ES-TU REVENUE ?

PARCE QU'IL VA SE PASSER PAS MAL DE CHOSES.

178

COMME L'AVAIT DIT KÉLO, CE SONGE ÉTAIT PRÉMONITOIRE.

"GLOW", LA LUEUR !

CE QUE J'AI PRONONCÉ DANS MON RÊVE SE COMPLÈTE : "PEUT-ÊTRE EST-CE UNE CLOW CARD".

TOMOYO ?

EH ?

C'ÉTAIT FORMIDAAAABLE !

IL PARAÎT QUE LES TALISMANS DE CE TEMPLE EXAUCENT LES VŒUX...

CE SERAIT BIEN QUE TES VŒUX SE RÉALISENT !

OUI !

❀ À SUIVRE ❀

Titre original :
CARD CAPTOR SAKURA, vol. 4
© 1997 CLAMP
All Rights Reserved
First published in Japan in 1997
by Kodansha Ltd., Tokyo
French publication rights
arranged through Kodansha Ltd.
French translation rights : Pika Édition

Traduction et adaptation : Reyda Seddiki
Lettrage : Valérie Pizzonéro

L'édition originale de cet ouvrage
a été publiée dans le sens de lecture
japonais. Les images ont été retournées
pour l'édition française.

© 2000 Pika Édition
ISBN : 2-84599-013-8
Dépôt légal : Juin 2000
Imprimé en Belgique par Walleyndruk
Diffusion : Hachette Livre

DÉJÀ PARUS

À PARAÎTRE

NOUVELLES ÉDITIONS